S0-BLX-167

LA CLASE MONSTER

Títulos publicados

PAPEL ECOLÓGICO
TCF LIBRE DE CLORO

FOTOCOPIAR LIBROS
NO ES LEGAL

LIBRO AMIGO DE LOS BOSQUES
PAPEL PROCEDENTE DE FUENTES RESPONSABLES

© Daniel Hernández Chambers, 2016
www.danielhernandezchambers.com
Autor representado por Silvia Bastos, S. L.,
Agencia literaria
© Dibujos: Òscar Julve Gil, 2016
© Algar Editorial
Apartado de correos 225 - 46600 Alzira
www.algareditorial.com
Impresión: Romanyà-Valls

1.ª edición: septiembre, 2016
ISBN: 978-84-9142-012-5
Depósito legal: V-1766-2016

Reservados todos los derechos.

Cualquier forma de reproducción, distribución, comunicación pública o transformación de esta obra solo puede ser realizada con la autorización de sus titulares, salvo excepción prevista por la ley. Diríjase a CEDRO (Centro Español de Derechos Reprográficos) si necesita fotocopiar o escanear algún fragmento de esta obra (www.conlicencia.com; 917021970 / 932720447).

HECHIZO DE ARENA

DANIEL HERNÁNDEZ CHAMBERS
DIBUJOS DE ÒSCAR JULVE

*Esta aventura está dedicada a los alumnos de los colegios
El Faro, Costablanca, San Roque y La Romana,
que me ayudaron a crear a algunos de los miembros
de la tribu nómada del desierto*

Agotamiento

Amber estaba cansada.

Muy cansada.

Agotada.

Tanto que la espalda se le encorvaba, los brazos le colgaban al lado del cuerpo y a veces uno se le caía al suelo y tenía que detenerse, recogerlo y volver a colocárselo. No podía ni pensar. Caminaba como si fuera un robot a punto de quedarse sin batería. Cada paso le costaba un esfuerzo enorme.

Los ojos pedunculados de Leopoldo se habían marchitado como
flores mustias. Acostumbrados
a mirar tantas cosas, ahora solo
miraban el suelo.

Y veían que no vendría mal
barrer un poco, arreglar aquellas
grietas cerca de la alcantarilla, dejar de
tirar chicles...

Telmo se había quedado dormido en la biblioteca mientras esperaba a que su padre, don Liberto, terminase de ordenarlo todo. Y como se había
dormido nada más abrir *Don Quijote* y su cabeza
se había desplomado sobre el libro, las prime-
ras líneas de la obra se le quedaron calcadas en
la cara, de forma que
en su mejilla se podía
leer: «...ahcnaM al ed
ragul nu nE».

Severina se negó a
caminar. Por suerte, su

casa estaba en la parte más baja de una larga calle en cuesta, así que encogió las piernas y se dejó caer rodando. Ni siquiera tenía fuerzas para avisar a los demás peatones para que se apartasen de su camino, y más de uno tuvo que saltar para evitar ser aplastado. Su madre, que la vio llegar como una gran bola de nieve peluda, abrió la puerta justo a tiempo para que Severina no chocase contra ella.

Chocó contra la pared del vestíbulo, eso sí. Y tiró un cuadro, un jarrón y el cubo de la fregona, que por suerte estaba vacío. Y cuando su madre fue a reñirle, descubrió que Severina roncaba, plácidamente dormida en aquella incómoda posición.

Tarsio tuvo una idea que creyó genial, pero que no funcionó. Su mochila era de esas que van en una especie de carrito con ruedas, por lo que se sentó encima mientras sujetaba la correa de Nosperratu y lo azuzaba:

–¡Arre, Nosperratu, arre!

A lo que el perro inmortal respondió:

–¡Guau! –que en idioma perruno venía a significar: «¡Que te crees tú eso!».

Por último, Jimmy recibió una ayuda inesperada para llegar a su casa: los piojos de su tupé, al ver que no se movía, lanzaron varias cuerdas y consiguieron enganchar sus piernas y uno de sus brazos. Entonces empezaron a moverlos, como si Jimmy no fuera más que una marioneta:

–Adelante el pie izquierdo –gritaba el capitán piojo–. Ahora el derecho. Y el izquierdo otra vez.

Incluso acertaron a mover la mano derecha para saludar a unas vecinas con las que Jimmy se cruzó en una esquina. Pero a veces el capitán piojo perdía el ritmo y sus compañeros movían dos veces seguidas el mismo pie, de modo que daba la impresión de que Jimmy, más que caminar, bailaba por la calle. Aunque un baile de lo más extraño, desde luego.

Era viernes y la pandilla acababa de terminar los exámenes de la segunda evaluación, y todos sus miembros estaban terriblemente agotados. Necesitaban un descanso y un poco de diversión. Por eso, en cuanto se despertó y descubrió el regalo que sus padres le habían comprado, Severina llamó uno a uno a todos sus amigos:

—Mañana quedamos en el parque a las once. ¡Tengo un bumerán y tenemos que estrenarlo!

Un artefacto volador

El bumerán no volvió solo.

Los chicos de la clase Monster jugaban en el parque con el bumerán que Severina había llevado en el fondo de su mochila. Estaba hecho de madera, y cuando lo lanzaban bien, en un movimiento giratorio, daba una vuelta completa por el aire hasta regresar al punto de partida, de modo que el lanzador podía atraparlo antes de que tocase el suelo. Pero no era sencillo conseguir un lanzamiento perfecto, claro. La primera vez que Tarsio lo intentó, Jimmy el Guapo y Leopoldo tuvieron que lanzarse cuerpo a tierra para salvar, uno su adorado tupé, y otro, sus cuatro ojos pedunculados. Y cuando le tocó el primer turno a Amber, quiso darle tanta fuerza que olvidó abrir la mano y su brazo derecho salió volando junto con el bumerán, dándole un susto tremendo a una señora que paseaba tan tranquila y que no esperaba ver un brazo lloviendo del cielo.

Sin embargo, poco a poco, todos fueron mejorando su destreza y pasaron un par de horas muy divertidas... hasta que en uno de aquellos lanzamientos el bumerán no volvió solo, sino con una curiosa mata de pelo rubio montada encima.

—¿Y eso? —exclamó Jimmy—. ¿A estas cosas les crece pelo?

La respuesta a semejante pregunta, que solo alguien como Jimmy podía formular, llegó en forma de señor gordinflón, sudoroso y calvo, que apareció detrás de unos árboles corriendo hacia el grupo, visiblemente enfadado, gritando fuera de sí:

—¡¡¡Gamberros!!! ¡Mi peluquín! ¡Sinvergüenzas, bribones! ¡Ay, mi pobre pelo! ¡¡¡Mi pelo, con lo que me ha costado!!! ¡Os vais a enterar, gamberrroooosss!

Detrás de él, una mujer con un vestido floreado se llevaba las manos a la cabeza con expresión de sorpresa, aunque no quedaba claro si la sorpresa se debía al bumerán, al enfado de su acompañante o a la aparición repentina de su calva reluciente donde un segundo antes había habido una preciosa melena dorada.

Telmo miró el bumerán que sostenía en su mano derecha y el peluquín que tenía en la izquierda; Tarsio miró a Jimmy; Severina miró a Amber; y Leo los miró a todos a la vez, aunque al hacerlo se mareó un poco. Nosperratu miró al energúmeno que se acercaba a la carrera y empezó a gruñir.

–Piernas... –empezó a decir Telmo.

–...¡¿para qué os quiero?! –aullaron los seis al unísono. Se dieron la vuelta y huyeron tan rápido como pudieron, que en el caso de Severina no era mucho, pero como el terreno estaba en pendiente, optó por encoger sus piernecitas y tirarse rodando, con lo que adelantó a todos los demás.

Nosperratu, por su parte, debió de entender mal el plan, porque corrió en dirección al dueño del peluquín ladrando ferozmente. Pero a mitad de camino se lo pensó mejor, el aspecto

del hombre era amenazador y su enfado monumental, así que el perro derrapó como un bólido de Fórmula 1 y giró en redondo para ir tras sus amigos.

Cien metros más adelante, el hombre se dio por vencido y frenó su avance hasta detenerse por completo, resoplando como un tren de vapor cuesta arriba. Se dobló por la cintura y apoyó las palmas de las manos en las rodillas para recuperar el aliento. Unos segundos después, recuperó la verticalidad y abrió los brazos en un gesto de súplica:

—¡Por lo menos devolvedme la melena estilo estrella de rock, que me ha costado un dineral, hombreporfavor!

Pero ya no pudieron oírle, porque estaban demasiado lejos. Y lo cierto es que, con las prisas, Telmo no había caído en la cuenta de que no había soltado la mata de pelo rubio hasta que llegó a la puerta de su casa.

Un reencuentro inesperado

El lunes, nada más entrar en clase, doña Isabel, la profesora de historia, los miró uno a uno con su único ojo. Estaba muy seria.

–Leopoldo, Severina, Amber, Jimmy, Tarsio y Telmo –dijo, con el tono de voz de quien va a comunicar una noticia grave–, dejad vuestras cosas en los pupitres y acudid al despacho del director.

Los chicos se miraron sin comprender y Jimmy decidió protestar:

–¡Pero si acabamos de llegar, todavía no me ha dado tiempo a hacer nada malo!

—No os estoy expulsando de clase, Jimmy —dijo la profesora—. No sé para qué quiere veros el director, solo me ha dicho que debéis ir urgentemente a su despacho.

Los chicos volvieron a mirarse y salieron del aula entre los cuchicheos de los demás:

—¡A saber lo que habéis hecho!

—¡Os la vais a cargar!

—¡La habéis liado buena!

En el pasillo, Telmo dio voz a sus temores:

—Seguro que esto es porque hemos sacado malas notas.

—¿Malas notas, tú? —se burló Tarsio.

—Sea lo que sea, enseguida nos enteraremos —dijo Severina, intentando mantener la calma.

Llamaron a la puerta del despacho y desde el otro lado les llegó la voz de Tyrone Cox:

—Adelante, pasad.

Dentro les esperaba no solo el director, sino también don Liberto, el bibliotecario y padre de Telmo, y un tercer hombre, que contempló a la pandilla con evidente recelo. Había algo en ese tercer hombre que al grupo le resultó familiar, pero ninguno de los chicos sabía decir de qué se trataba exactamente.

Tenía una barriga enorme, que le hacía parecer más bajo de lo que era, y lucía una gorra calada hasta las cejas, lo que, en lugar de darle un cierto toque juvenil, le proporcionaba un aire un tanto ridículo.

De repente los ojillos de Severina se abrieron de par en par, y al mismo tiempo los cuatro ojos de Leo se tensaron como girasoles hacia el sol. Ambos habían reconocido a aquel tipo: ¡era el del incidente con el bumerán en el parque! El hombre del peluquín.

¿Qué hacía allí? ¿Acaso había descubierto dónde estudiaban y se había presentado allí para denunciar lo ocurrido? Leo estaba a punto de decir que había sido un desafortunado accidente, que no habían querido arrebatarle su falsa melena de cantante de rock, pero el director Cox se le adelantó:

–Chicos, os presento a un viejo amigo mío –dijo–. El señor Valbuena. Acaba de regresar hace unos días de viaje y ha traído noticias muy interesantes.

El propio Valbuena le interrumpió:

–Disculpa, Tyrone, pero cuando me has hablado de que tenías un equipo, no sé, he pensado en un equipo de agentes especiales, no en chicos tan jóvenes.

—No te dejes engañar por su juventud. Estos muchachos son magníficos. Han demostrado su inteligencia y su valor. —Hizo un gesto para referirse a la Orquídea de los Tiempos y a la Poción de la Inmortalidad—. Sin ir más lejos, ninguna de estas dos maravillas estaría aquí de no ser por ellos.

Valbuena puso cara de sorpresa, se quitó la gorra y se rascó la calva.

—Está bien. Si tú estás convencido.

—Lo estoy. Te lo aseguro, Enrique.

Parecía evidente que Valbuena no los había reconocido, lo cual podía resultar sorprendente, pero sin duda se debía a la importancia de lo que le había llevado hasta allí.

Tyrone Cox dio paso a la presentación:

—Enrique Valbuena es arqueólogo, explorador, experto en mitología y un guitarrista estupendo. Como os he dicho hace un momento, acaba de llegar de viaje y cree haber encontrado algo espectacular.

—La pista definitiva —intervino su amigo.

—Una pista ¿de qué? —preguntó Telmo.

—¿De aterrizaje? —sugirió Jimmy.

—Una pista para llegar a la ciudad perdida de Shambala.

—¿Qué ciudad es esa? —dijo Severina—. Nunca he oído hablar de ella.

—Porque se la tragó el desierto hace tres mil años —respondió Valbuena.

—Eso dice la leyenda —confirmó el director.

—No es una leyenda, Tyrone. Ahora sabemos que es verdad.

—Un momento —pidió Tarsio—. ¿De qué desierto estamos hablando, del del Sáhara?

—No, no. El desierto de Gobi, en Mongolia.

Don Liberto, el bibliotecario, intervino entonces:

—Con permiso, señores —dijo, dirigiéndose al director y a Enrique Valbuena—. Los muchachos necesitan una explicación.

Una piedra

—La ciudad de Shambala es uno de tantos lugares legendarios sobre los que los historiadores y los investigadores han discutido durante siglos, como Troya, El Dorado, la Atlántida o el mismísimo Camelot. A diferencia de esos otros, Shambala es quizás un lugar menos conocido, pero no por ello menos interesante. Se cuenta que fue una ciudad-estado, un reino en sí misma, dirigida por una dinastía de reyes enamorados de la ciencia. Como podéis imaginar, en aquellos tiempos lo que para los estudiosos era ciencia, para la mayoría de la gente era magia.

»El caso es que, según todos los indicios, Shambala fue cuna de una civilización avanzada a su época. Y al estar situada en una zona tan remota, no contaba casi con enemigos. Estaba rodeada por el desierto, así que si a alguien se le ocurría intentar conquistarla, primero tenía que atravesar kilómetros y kilómetros de arena y roca. Y después superar las murallas de la ciudad, que, de acuerdo con las historias que han llegado hasta nosotros, medían diez metros de altura.

»Casi todo lo que nos ha llegado ha sido por medio de las narraciones orales que las tribus nómadas del desierto siguen contando hoy en día. Así que cuando la supuesta existencia de Shambala se hizo pública en Europa, varios exploradores intentaron encontrarla. Pero todo lo que hallaron se reduce a nuevas historias y ninguna prueba. Por eso, con el paso de los años, la mayoría dejó de creer que la leyenda fuese cierta. Era lógico: sin ninguna evidencia, se hacía muy difícil conseguir el dinero para una expedición.

»Por lo tanto, durante mucho tiempo el único que ha seguido buscando Shambala ha sido Enrique Valbuena. Y sus esfuerzos han dado resultado.

—¡Vaya que si lo han dado!

El grupo al completo centró ahora su atención en el explorador.

–¿Qué es lo que ha encontrado? –preguntó Amber.

–Un trozo de piedra...

–¿Una piedra? –se le escapó a Jimmy–. ¡¡¡¿Una piedra?!!!

–Pero no una piedra cualquiera, muchacho –repuso Valbuena–. Se trata de una piedra muy especial. ¡Ni más ni menos que una parte del arco frontal por el que se entraba a la ciudad! Lo sé porque tiene grabado el nombre casi completo: «Shamba».

–Este hallazgo –intervino el director– demuestra que Shambala existió realmente. Ahora sabemos que no es solo una leyenda.

–Pero todavía no han localizado la ciudad –señaló Severina.

–No, todavía no. Para eso ha venido Enrique, para invitarme a acompañarle. Y yo le he dicho que deberíais venir vosotros también.

–¡¡¡Nosotros!!!

–¿Al desierto?

–¿Cuándo? –quiso saber Telmo, que parecía el más ilusionado de todos.

—De inmediato —dijo Valbuena—. No quiero perder ni un día más.

Severina miró al director:

—¿Nos vamos a ir al desierto de Gobi?

—Solo si queréis, por supuesto —aclaró Tyrone Cox—. Después de cómo conseguisteis la Orquídea y más tarde la Poción de la Inmortalidad, he pensado que os merecéis tomar parte en esta nueva aventura. Pero, insisto, si preferís quedaros en el colegio...

—¡Yo me apunto! —casi gritó Telmo.

—¡Y yo! —dijo Jimmy, pensando que todas aquellas aventuras podrían venirle muy bien para su currículum a la hora de presentarse a un casting en Hollywood.

—Y yo —dijo Tarsio, y enseguida añadió—: y Nosperratu también.

—¡Jo! Déjalo en casa, hombre —pidió Jimmy.

—Es broma, hombre —lo tranquilizó el otro—. A Nosperratu seguro que no le vendría bien el desierto, así que lo dejaré en casa.

Amber y Severina se miraron y asintieron.

—Nosotras no pensamos quedarnos atrás.

—Muy bien. Lo organizaremos como un nuevo viaje cultural —explicó el director, satisfecho—, igual que hicimos cuando fuimos a Transilvania. Saldremos pasado mañana. Ahora volved a clase, chicos. Y cuando suene el timbre del recreo, id a la biblioteca para que don Liberto os cuente todo lo que sabemos sobre la desaparición de Shambala.

Sonó el timbre y, mientras todos sus compañeros salían al patio, Severina, Jimmy, Tarsio, Leo, Amber y Telmo acudieron a la biblioteca. Allí les esperaba don Liberto, con el semblante más serio de lo que esperaban.

—¿Qué ocurre, papá? —le preguntó Telmo.

—Como os he dicho hace un rato, es muy poco lo que se sabe sobre Shambala. De hecho, personalmente yo me inclinaba por pensar que no era más que una leyenda. Pero parece que me equivocaba.

—Eso es una buena noticia, ¿no? Me refiero a la existencia de la ciudad —dijo Severina.

—Sí. Sí, en efecto, Severina —corroboró el bibliotecario—. Pero hay algo que me preocupa. Puesto que no sabíamos si Shambala existió o no, mucho menos conocíamos la razón de su

desaparición. A lo largo de los años, los exploradores que han ido en su busca han registrado varias posibles explicaciones, pero hay una que se repite. La cuentan distintas tribus de nómadas del desierto.

—¿Y cuál es esa explicación? —quiso saber Amber.

El hechicero

Don Liberto entrelazó sus manos y comenzó:

—Pues veréis, según los relatos orales que los nómadas se han contado unos a otros durante siglos y siglos, la desaparición de la ciudad de Shambala se debió a la acción de un solo hombre.

—¿Un solo hombre? —se sorprendió Jimmy—. ¿Qué era, un superhéroe?

—No. Si acaso podríamos definirlo como un supervillano —corrigió don Liberto.

—¡Como don Moquiar! —se le escapó a Leo.

Don Moquiar había sido profesor del colegio hasta que sus malas artes para intentar hacerse con la Orquídea de los Tiempos le habían supuesto ser expulsado por el director Cox.

—Me temo que más malvado que don Moquiar —aseguró el bibliotecario—. El hombre del que os hablo era un hechicero, y su nombre, que aún causa espanto a los nómadas, era Brallon.

—Un momento —le interrumpió Telmo—, ¿has dicho «un hechicero»? Te había entendido que en Shambala lo que les interesaba era la ciencia.

—En efecto, pero eso no significa que alguno de sus habitantes no estuviera más interesado en la magia. Y en el caso de Brallon, parece ser que su interés era la magia más oscura que podáis imaginar. Tenéis que comprender una cosa, chicos: en este mundo nuestro, aunque ya casi nadie hable de ella, la magia existe. La Orquídea de los Tiempos y la Poción de la Inmortalidad son dos buenas pruebas de ello. Y si Shambala existe y Valbuena la ha encontrado, es posible que Brallon y su magia oscura también existieran, y entonces tendremos que andarnos con mucho ojo.

—¿Por qué?

Antes de responder, don Liberto respiró hondo. Luego dijo:

—Porque las leyendas aseguran que Brallon destruyó Shambala en una sola noche, después de que el gobierno de la ciudad se negase a darle una enorme cantidad de oro.

—¿Cómo lo hizo? —preguntó Amber.

—¿La quemó? —sugirió Telmo.

—No. Al parecer conjuró a los vientos para desatar una feroz tormenta de arena que acabó enterrando la ciudad entera.

Hacia el Gobi

Enrique Valbuena se presentó en el aeropuerto con un nuevo peluquín, muy parecido al que le había arrancado el bumerán. Así, sin la gorra, tenía cierto aire de estrella del rock retirada. Al verlo, los chicos recordaron lo que el director Cox había dicho sobre él: arqueólogo, explorador, experto en mitología y un guitarrista estupendo. Lo de guitarrista les había sonado a broma, pero ahora sí lo parecía. Un poquito, al menos.

Durante el vuelo a Ulán Bator, capital de Mongolia, todo fue bien hasta que se produjo un pequeño incidente que provocó que los que viajaban a bordo del avión tuvieran que abandonar sus asientos y correr hacia la parte delantera. Allí se reunieron todos, mirándose con espanto.

—¡Ya te vale, Leo! —se quejó Jimmy—. ¡YA TE VALE!

—Lo siento. Han sido las turbulencias —trató de excusarse Leopoldo—. Tanto balanceo me ha removido el estómago.

—¡Vaya peste! —gimió Tarsio, haciendo esfuerzos por taparse su enorme nariz por completo.

—Tienes que avisar de estas cosas, Leo —continuó Jimmy—. Te lo tengo dicho: tienes que avisar. Eres una bomba fétida andante. La próxima vez, avisa; abrimos compuertas y te tiramos en paracaídas con tal de no volver a soportar esto.

—Las turbulencias...

—Las pedorretas, Leo, las pedorretas.

Una de las azafatas lloraba desconsolada; Tyrone Cox lanzaba miradas de reproche a Leo; Amber se quitó la nariz, pero ni aun así logró evitar seguir percibiendo el horrible hedor.

El avión comenzó a descender en picado y la voz del piloto sonó con urgencia por la megafonía:

—¡Vuelvan a sus asientos! Hay que repartir el peso por toda la nave o nos estrellaremos.

—¡Claro, qué valiente el piloto! —dijo Jimmy—. Seguro que la peste no ha llegado hasta la cabina.

—Hay que esforzarse y obedecer —anunció don Liberto—. Y, por favor, Leo, contrólate.

Cuando ocupó su asiento de nuevo, Enrique Valbuena le comentó al director:

—Ese chico serviría como explicación de la desaparición de la mismísima Atlántida. ¿Qué digo? ¡Serviría para explicar la extinción de los dinosaurios!

Tyrone Cox no pudo evitar sonreír para sus adentros al representar en su mente la imagen de Leopoldo cayendo del cielo como un meteorito y los dinosaurios levantando la cabeza sin saber lo que se les venía encima.

Por desgracia, las turbulencias fueron en aumento debido a una fuerte tormenta que el avión tuvo que atravesar, y con ellas aumentó también el nerviosismo de Leo. El piloto mantuvo el control de la nave, pero Leo perdió el de sus ventosidades. Cada vez que el avión daba un brinco, se oía un ¡¡¡PRAAA!!! cuya intensidad se ajustaba a la brusquedad del brinco. Y el olor también, con lo que todos los que iban a bordo intentaron respirar lo menos posible.

¡¡¡PRAAA!!!

¡¡¡PRAAAAA!!!

¡¡¡PRA!!!

¡¡¡PRAAA!!!

¡¡¡PRAAAAAAAAAAAAAAA!!!

Cuando aterrizaron en la capital de Mongolia, las azafatas se apresuraron a abrir las puertas y todos salieron boqueando como peces fuera del agua. Todos menos Leo, que tuvo que esperar a que lo examinaran unos especialistas en control de epidemias para asegurarse de que no suponía ningún peligro para el país.

Atravesando el desierto

El calor resultaba insoportable. Por mucho que el aire acondicionado de la furgoneta estuviese a la máxima potencia, todos experimentaban una sensación de ahogo. Los que peor lo llevaban eran Severina, porque su cuerpo redondo estaba por completo cubierto de pelo, y Jimmy, cuyo tupé se había venido abajo como una flor mustia, y la gomina le caía a chorretones por la calavera. Los piojos, por supuesto, lo aprovechaban para deslizarse utilizando los mechones a modo de toboganes.

Valbuena intentó animarlos asegurando que pronto se acostumbrarían.

La furgoneta avanzaba por una carretera de tierra entre las dunas. La conducía el propio Enrique Valbuena, y los demás ocupaban las filas de asientos interiores.

—¿Falta mucho para llegar? —preguntó Telmo un par de horas después de salir del aeropuerto.

—Un poco todavía —dijo el arqueólogo.

—¿Y ahora cuánto falta? —preguntó Tarsio una hora más tarde.

—Un poco todavía.

—¡¿Pero cuánto falta?! —se impacientó Amber media hora más adelante.

—Solo un poco más.

—¡¡¡¿Pero cuántos «un poco más» nos faltan para llegar?!!! —gritó Severina tras una hora más de camino.

Esta vez Valbuena no contestó, se limitó a señalar una duna enorme que tenían a su izquierda. La rodeó con el vehículo y pisó el freno ante lo que parecía un gran valle en forma de V.

—Ya estamos —anunció.

Todos, incluidos el director y el bibliotecario, gritaron de alegría, y al bajarse y ver el lugar en el que se encontraban se dieron cuenta de que

no se trataba de un valle natural, sino de un gran agujero artificial, una excavación.

—¿Es aquí donde encontró la piedra? —quiso saber don Liberto.

—Justo aquí. Por eso tomé la decisión de empezar esta excavación, pero hasta ahora no he encontrado Shambala. Debe de estar enterrada a mucha profundidad.

Un rato después, mientras cenaban en el interior de una gran tienda de campaña, Valbuena confesó que su hallazgo había sido fortuito. De hecho, se había extraviado por el desierto y llegó un momento en el que decidió sentarse para descansar, con la fortuna de que la piedra que había escogido como asiento resultó ser el fragmento del arco de entrada a la ciudad legendaria.

—A menudo los descubrimientos más importantes de la humanidad se deben a la fortuna —sentenció Tyrone Cox.

—Pura chiripa —murmuró Jimmy por lo bajo.

Luces en la noche

Esa primera noche, y aunque ya habían sido advertidos, a los chicos les sorprendió el drástico cambio de temperatura. Del calor agobiante pasaron en pocas horas a un frío gélido contra el que de nada servían las capas y capas de ropa que se ponían encima. Así las cosas, con la excepción de Severina, los demás apenas pudieron pegar ojo.

–¡Mirad cómo duerme! –dijo Tarsio, enfocando a su amiga con una linterna–. ¡Como tiene su propio abrigo incorporado, qué morro!

Desesperado, Telmo se levantó y fue hacia la puerta de la tienda de campaña.

—Eh, ¿adónde vas, Telmo? —quiso saber Amber, a quien le castañeteaban los dientes.

—Ya que no puedo dormir, voy a ver las estrellas. En casa no se ven bien por culpa de las luces de la ciudad, pero aquí seguro que ver el cielo es todo un espectáculo.

—¡Buena idea! —exclamaron al unísono Leo y Jimmy.

En fila india fueron saliendo uno tras otro, hasta que Severina se quedó sola en el interior, roncando suavemente. Para su sorpresa, la actividad en la excavación era frenética, pues durante el día, con el calor, resultaba imposible trabajar.

—¡Uauhh! —exclamaron todos al ver que en el cielo del desierto parecía haber muchas más estrellas que en el cielo que estaban acostumbrados a ver. Contarlas era misión imposible.

—Ni el mejor matemático del mundo podría decir cuántas hay —aseguró Tarsio.

Se tumbaron en círculo, boca arriba, y dedicaron varios minutos a intentar identificar las constelaciones.

Un poco más tarde, Severina se asomó con los ojos semicerrados y observó a sus amigos.

–¿Qué luces son esas? –preguntó, con voz ronca.

–Las estrellas, Severina, son las estrellas –contestó Telmo, con tono burlón.

–No, esas no. Me refiero a aquellas luces que se ven sobre esa duna –dijo, y señaló un gran montículo de arena en el otro extremo del campamento.

Los otros se incorporaron y miraron hacia donde les indicaba. En lo alto de la duna había dos luces que se movían, como si dibujasen pequeños semicírculos en el aire.

–No son linternas –murmuró Amber–, son antorchas.

–Es verdad –confirmó Jimmy.

–Parece... –empezó Severina–. ¿No os da la impresión de que están enviando señales?

–¿A nosotros? –preguntó Tarsio. Tanto él como Severina miraron a su alrededor. No había nadie más por allí cerca, al menos que ellos pudieran ver.

–Yo diría que sí, que es a nosotros –opinó Telmo–, y que quieren que nos acerquemos.

–¿Y qué hacemos? –preguntó Amber–. ¿Deberíamos avisar al señor Cox?

Todos sus amigos la miraron fijamente, como si de repente Amber hubiera hablado en japonés.

–No –dijeron los cinco a la vez.

Y, sin más, echaron a andar hacia la duna desde la que se emitían las señales, como ratones que estuvieran siguiendo al flautista de Hamelín.

Una advertencia y un secreto

A medida que se iban acercando, empezaron a distinguir a quien sostenía las antorchas. Había detenido sus movimientos al comprobar que los chicos habían entendido el mensaje de las señales. Su figura era muy extraña; a simple vista no se podía saber con certeza cuáles de sus numerosas extremidades eran piernas y cuáles brazos, pues iba vestido con una especie de túnica de una sola pieza de la que brotaban al menos seis, todas de la misma longitud. Y entre ellas había una cabeza de pelo ensortijado y ojos oscuros como pozos de alquitrán.

—Buenas noches, extranjeros —saludó el desconocido.

—Buenas noches —respondió Telmo.

—¿Quién eres? —quiso saber Leo, con algo de nervios.

El hombre de las seis extremidades sonrió.

—Mi nombre es Mogelios, pero en realidad eso no importa. Yo solo he venido para llevaros junto a Cerpa-ï.

—¿Y ese quién es?

—El jefe de mi tribu. Venid.

—Esperad, chicos —dijo entonces Amber—. En serio, ¿no deberíamos avisar al director?

Igual que antes, los demás clavaron la mirada en ella.

—¡No!

Amber buscó el apoyo de la otra chica del grupo.

—Severina, sabes que tengo razón. No conocemos de nada a este hombre, ni sabemos qué quiere de nosotros su jefe.

—Cerpa-ï —repitió Mogelios—. Él os lo explicará todo. Él conoce el objetivo de vuestra expedición. Él sabe muchas cosas.

—¿Qué quieres decir con eso? —preguntó Jimmy.

—Cerpa-ï os lo contará.

Amber aún protestó un poco más, pero finalmente siguió a sus amigos, que acompañaban a Mogelios en dirección contraria al campamento. Mientras sostenía las antorchas con dos de sus extremidades, a Mogelios las otras cuatro le servían para caminar, pero no como haría una criatura de cuatro patas, sino más bien como una especie de molino, pues las extremidades realizaban giros completos de 360 grados.

Después de dejar atrás varias dunas llegaron a una especie de hondonada en la que se había establecido un campamento de tiendas de campaña de tela negra. En el centro de ese campamento ardía una gran hoguera en torno a la cual había alrededor de veinte personas sentadas.

—¿Es que los nómadas no duermen nunca? —preguntó Jimmy en un susurro.

—Es que nos están esperando, hombre —respondió Telmo, también en voz baja.

—Eso me extraña todavía más que lo de que no duerman. ¿Qué puede querer esta gente de nosotros?

Para contestar, Telmo imitó a Mogelios:

—Cerpa-ï nos lo contará.

—Os presento a Cerpa-ï —anunció Mogelios al detenerse.

A la luz de la hoguera y de las dos antorchas el tal Cerpa-ï parecía una uva pasa con piernas y capucha puntiaguda. Sus ojos, diminutos, contemplaron uno a uno a los chicos. A su lado había otra figura idéntica pero de la mitad de tamaño. Sin duda, era el hijo del jefe.

—Bienvenidos, extranjeros —dijo Cerpa-ï, y su voz sonó raspada como si su lengua fuera papel de lija.

—Hola —contestaron los muchachos, algo intimidados por la presencia de aquella veintena de personas que no les quitaban los ojos de encima.

No era para menos, porque entre ellos había un tipo con cuatro ojos unidos entre sí como pétalos de un trébol, dos orejas perfectamente redondas, una cresta al estilo mohicano y cinco tentáculos asomando por debajo de su túnica. A su lado estaba sentado un individuo de dos cabezas (una con cinco mechones de pelo y la otra solo con dos) que susurraban por lo bajo entre sí mientras observaban a los recién llegados. Más allá había lo que parecía una monstruosa mezcla de gato, pulpo y cíclope que sonreía a los chicos de forma muy agradable. A su lado estaba un tipo de enorme cabeza redonda, cuyo cabello ensortijado recordaba a un nido de serpientes. A la izquierda de este, alguien muy delgado que parecía un puercoespín o un gato erizado, y después otro que por nariz tenía una trompa de elefante y por orejas algo que recordaba a un megáfono.

—Gracias por aceptar mi invitación —continuó el viejo Cerpa-ï.

—Bueno —se lanzó a decir Telmo, en un intento de aclarar la situación—, la verdad es que no sabemos de qué quiere hablar usted con nosotros.

—Ni siquiera sabemos si es con nosotros con quien quiere hablar —apuntó Amber.

—Por supuesto que es con vosotros con quienes quiero hablar.

—Muy bien, pero ¿de qué? —insistió Telmo.

—De Shambala, claro está. Para eso habéis venido hasta el corazón del desierto, ¿no es así? Pero sentaos, por favor.

Los chicos se miraron sobrecogidos, y Severina fue la primera en reaccionar:

—Creo que quizá debería hablar con el señor Valbuena, en ese caso.

—No, no, prefiero hablar con vosotros.

—¿Y eso por qué? —inquirió Leo.

—Porque a ese hombre hemos estado observándolo, y no nos ha parecido de fiar. Nos tomaría por locos, por gentes ingenuas dispuestas a creer tonterías.

—Está bien —dijo Severina—. Le escuchamos, señor Cerpa-ï.

—No me llames «señor». Solo Cerpa-ï. Veréis, nosotros somos los vigilantes, los encargados de evitar que Shambala sea descubierta.

—¿De evitarlo? —se le escapó a Leo—. ¿Y eso por qué?

—Porque pesa sobre ella una maldición. Una terrible maldición.

—¿La maldición de Brallon? —preguntó Tarsio.

Cerpa-ï puso cara de auténtica sorpresa.

—¿Habéis oído hablar de Brallon?

—Solo un poco —admitió Telmo.

—¿Os apetece un té? —ofreció Cerpa-ï.

—Pues no vendría mal para entrar en calor —dijo Jimmy, adelantándose a sus amigos—. No me esperaba pasar frío en el desierto.

—Eso es porque no atendías en clase de ciencias naturales cuando estudiamos el ecosistema del desierto —le recriminó Amber.

—¿Hemos estudiado eso?

—Solo nos falta estudiar el ecosistema de tu tupé —bufó su amiga.

Cerpa-ï hizo una indicación a uno de sus compañeros y este entró en una de las tiendas de campaña para salir poco después cargado con una bandeja sobre la que había puesto una gran tetera y varias tazas. Vertió la infusión y fue repartiendo las tazas a los muchachos.

—Si ese hombre, Valbuena —dijo Cerpa-ï—, encuentra la manera de acceder a Shambala, es posible que provoque un desastre de proporciones desconocidas.

—Ha encontrado una pista —se le escapó a Leo.

—Lo sé. Por eso estamos vigilando la excavación. Y Mogelios tenía órdenes de establecer contacto con vosotros en cuanto fuera posible.

Los chicos intercambiaron nuevas miradas. Por algún motivo que todavía no comprendían, aquel tipo parecía tener sus esperanzas depositadas en ellos. Fue Severina la que se decidió a interrogarle al respecto:

—Disculpe, Cerpa-ï, pero ¿por qué nos cuenta esto? ¿Por qué quería establecer contacto con nosotros?

—Porque de vosotros depende que Valbuena no cause ese desastre que acabo de mencionar. Nosotros no podemos entrar en Shambala, solo la vigilamos.

—¿Eso significa que saben dónde está? —preguntó Leo.

Cerpa-ï sonrió, y su sonrisa se contagió a todos sus compañeros.

—El desierto no tiene secretos para nosotros.

HACIA ABAJO

Una de las tiendas del campamento de los nómadas ocultaba un pozo vertical en cuyo fondo brillaba una luz amarilla. Cerpa-ï y Mogelios se lo mostraron a los chicos.

—Esta es la actual entrada a la ciudad de Shambala —dijo la uva pasa con piernas—. Es imposible quitar toda la arena con la que la cubrió la tormenta que conjuró Brallon, por eso hemos dedicado años a excavar este túnel.

—Entonces, ¿han entrado en la ciudad? —quiso saber Tarsio.

—No, no, nosotros no podemos. El hechicero

no solo enterró la ciudad, también lanzó una maldición sobre los descendientes de aquellos que vivieron en Shambala. Si entramos en la ciudad, moriremos. Vosotros, en cambio, sí podréis entrar utilizando nuestro túnel.

—Pero ¿para qué quiere que entremos? —se extrañó Amber—. ¿Y eso del desastre que ha dicho antes?

—Puede que no me haya explicado bien: vosotros debéis entrar antes de que lo haga Valbuena para evitar que ese desastre se produzca.

—¿Y cómo lo vamos a conseguir?

—Será complicado —reconoció Cerpa-ï—. Pero antes de explicároslo, tengo que saber si estáis dispuestos a intentarlo.

—Sí —contestó Tarsio, siempre preparado para la aventura.

—Bueno, depende —le corrigió Severina, más cauta.

—¿Qué peligros corremos? —quiso saber Leo.

A Mogelios se le escapó un silbido.

—¿Peligros? ¡Puede que muchos! —dijo Cerpa-ï—. Y me temo que desconocidos.

Jimmy se adelantó a los demás y le tendió la mano al jefe de la tribu nómada.

—Gracias por el té y por su sinceridad. Nosotros ya nos vamos.

—¿Qué dices, Jimmy? —le espetó Telmo—. Yo me quedo.

—¿En serio?

—¿Es que no has estado escuchando? De nosotros depende salvar al mundo de un desastre.

—El que no estaba escuchando eres tú: hay peligros, en plural, pe-li-gros, con *s*. ¡Muchos y desconocidos!

—¡Es una aventura, Jimmy!

—¡Es una locura, Telmo!

—Está bien —intervino Leo—, no discutáis. Lo que tenemos que hacer es votar.

—Yo voto por quedarnos sobre el desierto, y no debajo —dijo Jimmy.

—Yo voto por entrar en Shambala —repuso Telmo—. Chicos, ¿es que no os dais cuenta? ¡Esto es una oportunidad única!

—¡Una oportunidad única de palmarla! —chilló Jimmy.

—Yo voy con Telmo —dijo Severina.

—Y yo —se unió Amber, aunque en su tono se notó que no estaba muy segura.

—Y yo —dijo Tarsio—. Faltaría más.

–Tú pierdes, Jimmy –sentenció Leo–. Cinco contra uno. Yo también voy.

Jimmy se tiró con desesperación de la punta del tupé, estrujando a un piojo justo cuando se disponía a dormir la siesta en una hamaca que había colocado entre pelo y pelo.

–Pues yo no pienso bajar –aseguró–. Si queréis ir, vais sin mí.

Todos lo miraron alucinados, pero, en especial, Amber. Estaba acostumbrada a que Jimmy cambiase de opinión con tal de darle la razón a ella.

–¡Venga, Jimmy! –intentó convencerlo Tarsio.

–Ni hablar. Hala, ya podéis ir bajando, que yo os espero tomándome otro té. –Se dio la vuelta y abandonó la tienda.

–Él se lo pierde –dijo Severina.

—Esperad —dijo Leo—. Es mejor que ninguno de nosotros se quede solo. Si Jimmy no va a venir, alguien debería quedarse aquí con él.

Todos miraron a Amber, conscientes de sus dudas.

—Vale, vale, lo capto. Me quedo con él.

Entonces Cerpa-ï aprovechó para apuntar:

—Valbuena está muy cerca de encontrar la ciudad, tenéis que daros prisa. Nuestro túnel os llevará bajo las dunas hasta la entrada norte de Shambala. Una vez allí tendréis que dirigiros al centro de la ciudad. Brallon colocó en ese lugar un artilugio con forma de caja. Nadie sabe qué hay en su interior, pero si alguien lo abre se producirá el desastre. Y seguro que si es Valbuena quien llega antes, abrirá la caja.

—¿Y qué quiere que hagamos nosotros? —le preguntó Telmo.

—Que me la traigáis a mí, sin abrirla. Nosotros volveremos a esconderla en otro punto del desierto, donde nadie podrá encontrarla.

Primera Sorpresa

El túnel que los nómadas habían excavado era oscuro como una noche sin luna ni estrellas. Cada uno de ellos llevaba una antorcha, pero la oscuridad era tan densa que la visibilidad no superaba los cuatro o cinco metros, lo que les hacía avanzar despacio, por si acaso.

—Esto me recuerda a cuando íbamos en busca de la Orquídea de los Tiempos —indicó Leo.

—Esperemos que acabe igual de bien —respondió Severina.

—Y que lo de los peligros haya sido una exageración de Cerpa-ï —murmuró Tarsio.

Tuvieron que recorrer varios cientos de metros por aquel pasadizo que parecía una tubería de arena hasta que divisaron, a la luz del fuego de las antorchas, un muro de piedra de un metro de altura.

—¡Shambala! —exclamó Telmo.

—Tranquilo —lo calmó Tarsio—. Por ahora solo es un muro de piedra.

Pero detrás de ese muro había una calzada y nuevos muros. Edificios de una o dos plantas de altura. Una ciudad entera bajo un cielo de arena que se había solidificado por el paso de los años o por la magia del hechicero Brallon.

—¡Uuuaaauuuhhh! —exclamaron, ahora sí, los cuatro a la vez.

La vista resultaba sobrecogedora: Shambala se mantenía intacta a pesar de estar enterrada. Sobre ella se había formado una cúpula de arena, pero las calles, las casas y los templos estaban limpios.

—¿Cómo puede estar todo tan limpio? —preguntó Tarsio, asombrado.

—Cosa de magia, sin duda —le respondió Telmo.

—O que alguien ha contratado a todo un equipo de barrenderos para recibirnos —dijo Leo.

—Bueno, chicos, no perdamos tiempo —se impacientó Severina, a la que el lugar le estaba poniendo muy nerviosa. Tanto que todos los pelos que cubrían su cuerpo redondo se habían puesto de punta, con lo que parecía un erizo de mar con piernas—. Busquemos el centro de la ciudad.

—¿No os apetece primero dar un paseo y ver un poco de Shambala? —sugirió Telmo.

—Desde luego que no.

—Seguramente será la única vez que podamos visitar la ciudad, así que yo no la desaprovecharía —insistió Telmo.

—¿Te has olvidado ya de la advertencia de Cerpa-ï? Ahora mismo podemos correr un grave peligro por el simple hecho de estar aquí. O sea, hacemos lo que tenemos que hacer y dejamos la visita turística para otra ocasión.

—Estoy de acuerdo con el erizo..., perdón, con Severina —dijo Leo—. El mundo puede estar en peligro y solo nosotros podemos salvarlo, así que lo primero es lo primero.

—Vale, vale, de acuerdo —se convenció Telmo.

De pronto, Tarsio interrumpió a sus tres amigos:

–¡Eh, mirad eso de ahí! –casi gritó, a la vez que señalaba algo que había en el suelo ante ellos.

Los cuatro formaron un semicírculo para observar el objeto.

–¿Cómo puede ser? –exclamó Severina.

–¿Es lo que creo que es? –preguntó Leo.

–O eso o una rata con melena –apuntó Tarsio.

Lo que estaban viendo era el peluquín estilo estrella de rock con el que Enrique Valbuena se había presentado en el aeropuerto.

–¿Y por qué se lo ha dejado aquí? –inquirió Telmo.

–Seguramente iba con prisas, a la carrera, y el peluquín se le voló –opinó Leo.

–O puede que le haya pasado algo.

–Eso ya lo averiguaremos –dijo Severina–. Lo que debe preocuparnos ahora mismo es que

Valbuena ya ha conseguido entrar en Shambala mientras nosotros estábamos en el campamento nómada. Y puede que el señor Cox y el padre de Telmo estén con él. Así que tenemos que actuar con urgencia.

—Sí, si ellos encuentran el artilugio del hechicero antes que nosotros... —Leo no terminó la frase, porque ni él ni nadie sabía con exactitud qué podía ocurrir si alguien abría la misteriosa caja de Brallon.

DUDAS Y NERVIOS

Jimmy estaba enfadado. No estaba seguro de cuál era la razón de ese enfado, si que sus amigos no le hubieran hecho caso y se hubiesen ido sin él, o que él se hubiera separado de ellos por no compartir su opinión. ¿Estaba enfadado con ellos o consigo mismo? No solían separarse, y menos en una situación como aquella. Fuera como fuese, se sentía muy pero que muy enfadado.

Sentada a su lado, Amber lo que estaba era nerviosa. No sabían nada de los otros desde que habían bajado al subterráneo.

—Han pasado más de dos horas —dijo.

Jimmy no contestó.

—Ya van casi cuatro horas —apuntó Amber un buen rato después.

—Estarán pronto de vuelta.

—¿Tú crees? Ojalá. Va a amanecer y tendremos que regresar, y no me gusta no saber qué está pasando.

—Ya no tardarán —quiso tranquilizarla Jimmy. Pero él había empezado también a ponerse nervioso. Cuatro horas eran muchas horas.

—Está saliendo el sol —dijo Amber media hora después—. Si se dan cuenta de que no estamos en el campamento, empezarán a buscarnos.

—Pero no podemos volver sin los demás.

—Claro que no. Pero algo tenemos que hacer, estoy harta de estar aquí esperando.

El jefe de la tribu nómada se presentó entonces ante ellos:

—Chicos, ha pasado demasiado tiempo. Me temo que algo va mal.

Jimmy se puso de pie y Amber lo imitó. Ambos intercambiaron una mirada de resignación.

—Estabas harta de esperar, ¿no? Pues se acabó la espera —dijo Jimmy—. Nos toca ir al rescate.

—Qué remedio —confirmó Amber.

—No me siento cómodo pidiéndoos que vayáis en busca de vuestros amigos —reconoció Cerpa-ï.

—No hace falta que nos lo pida —le corrigió Jimmy—. Son nuestros amigos y vamos a ir a salvarlos, sean cuales sean los peligros que podamos encontrar en nuestro camino.

—¡Bravo, muchachos! Sois unos valientes.

—Ya le digo, Cerpa-ï. Somos valientes, osados, atrevidos, intrépidos y guapos.

—Por mucho que lo digas en voz alta, no va a ser verdad, Jimmy —se burló su amiga.

—Vale, no soy un valiente, pero por mis amigos voy a cualquier parte, incluso a esa ciudad enterrada por un hechicero.

—Es broma, Jimmy: sí que eres un valiente.

—Valiente y guapo.

—Dejémoslo en valiente —sentenció Amber, y le atusó el tupé con cariño.

—Venga, no perdamos más tiempo.

Descendieron al pozo y aguantaron unos segundos mientras sus ojos se acostumbraban a la oscuridad. Desde arriba, Cerpa-ï y Mogelios los observaron hasta que la luz de sus antorchas desapareció por el túnel. Entonces los dos nómadas se miraron:

—¿Y si ellos tampoco regresan? —preguntó Mogelios.

—Si no vuelven, prepárate para lo peor.

LA CIUDAD BAJO LA ARENA

Amber y Jimmy llegaron al mismo punto donde sus amigos habían tropezado con el peluquín de Enrique Valbuena y se miraron sobrecogidos.

—¿Ya está aquí? —preguntó Jimmy.

—Ya está aquí —confirmó Amber—. ¿Crees que deberíamos volver y decírselo a Cerpa-ï?

—No. Sea lo que sea lo que está pasando, vamos a tener que solucionarlo tú y yo solitos.

—¡Me gustaría saber cómo!

—A mí también.

Continuaron adelante, aunque, sin percatarse, cada vez caminaban más despacio. No saber qué les esperaba en el interior de Shambala no invitaba a ir con prisas.

Decidieron seguir lo que parecía una gran avenida, con la esperanza de que los llevase hacia el centro de la ciudad.

—Aquí el cielo es de arena —señaló Amber.

—No me lo recuerdes, por favor.

—¿Y si se pone a llover?

—¡¿Cómo quieres que llueva?! Estamos debajo del suelo. Como mucho, llovería arena.

—A eso me refiero, Jimmy. Si notas que te cae arena encima, mala señal. Muy mala. Lo peor de lo peor.

—¡Amber, por favor! Habla de otra cosa.

—Vale. ¿De qué quieres que hable? ¿De terremotos? ¿Huracanes? ¿Tormentas de arena? ¿Hechiceros malvados?

—No. No. No. Y no. Prefiero que no hables, Amber, la verdad.

—Lo siento. Son los nervios. Estoy muy nerviosa.

—No lo había notado.

—Lo digo en serio, Jimmy.

—Lo sé. Yo también estoy nervioso. No se me nota en absoluto, porque soy un tipo genial, pero la verdad es que este lugar me pone un pelín nervioso.

—Sí que se te nota, Jimmy. Sí que se te nota.

—Está bien. Vamos a intentar quedarnos callados los dos un rato. Puede que eso nos sirva para controlar los nervios. Y para que nadie nos oiga acercarnos.

—¿Oírnos, quién? Ah, claro, te refieres a la pandilla y a Valbuena, ¿no?

—No, estaba pensando en otra posibilidad.

—¿Cuál?

—Pues que aquí haya alguien más. Por eso los demás no han podido volver a salir, porque alguien los ha hecho prisioneros.

Amber se quedó quieta de repente y dijo:

—Jimmy.

—¿Qué?

—Ahora soy yo la que quiero que te calles un rato. Las ideas que se te ocurren no me gustan nada.

—A mí tampoco —reconoció Jimmy.

Una gran plaza

Tras mucho caminar, la avenida por la que avanzaban desembocó en una plaza gigantesca de forma circular. Estaba rodeada por los edificios más hermosos que habían visto hasta el momento en la ciudad, y en el centro se alzaba lo que parecía ser un monumento en honor de alguien. Quizás un rey muy antiguo. O tal vez el fundador de Shambala.

Era una estatua de dos metros de altura, una figura vestida de forma muy parecida a como vestían los miembros de la tribu nómada, con un cuchillo al cinto y sus cuatro brazos desnudos y en jarras. Daba la impresión de que observaba la ciudad con un gesto de orgullo. Lo que más llamaba la atención no era la perfección con que había sido tallada la estatua, sino las púas que la cubrían allí donde asomaba un pedazo de su piel. Más que a un hombre, recordaba a un cactus, aunque, eso sí, con dos piernas y cuatro brazos.

Delante de la estatua había una caja. O más bien un baúl, hecho de madera. Y, por fortuna, estaba cerrado.

—Sigue cerrada, ¡menos mal! –exclamó Amber.

—Sí, pero ¿seguro que es esa la caja que buscamos?

—Tiene que serlo. No hay otra.

—¿Y qué sugieres, que la cojamos y se la llevemos a Cerpa-ï?

—¿Tienes alguna idea mejor?

—Ni mejor ni peor. La verdad es que no tengo ni una sola idea sobre lo que debemos hacer. Pero...

Amber comprendió a qué se refería su amigo.

—Pero seguimos sin saber dónde están los demás.

—Exacto.

Se acercaron hasta el baúl y lo examinaron. No era muy grande, así que si su peso lo permitía, uno solo de ellos podría cargar con él hacia la salida. Jimmy probó a levantarlo y comprobó que apenas pesaba.

—Como si estuviera vacío –dijo–. A lo mejor es que la magia no pesa.

—¿Nos lo llevamos? –preguntó Amber, insegura.

Jimmy se rascó el mentón con cara de concentración.

—Escondámoslo. Así podremos buscar a los otros antes de irnos. Si no los encontramos, sacamos el baúl de aquí y volvemos luego para seguir buscándolos. ¿Te parece bien?

—Sí.

Cada uno cogió el baúl por un lado y lo transportaron hasta uno de los edificios que bordeaban la plaza. Todo en los edificios estaba intacto, sin duda por efecto de la magia del hechicero, pero las puertas se abrían con solo empujarlas, así que metieron la caja en el interior y volvieron a salir.

—Ya sería casualidad que alguien la encontrara ahí justo ahora –dijo Amber–. ¿Por dónde empezamos a buscar?

—Buena pregunta.

Mientras se decidían, la mirada de Amber se posó de nuevo en la estatua situada en el centro de la plaza. Sus cejas estuvieron a punto de salir disparadas hacia arriba al darse cuenta de que algo había cambiado.

—¡¡¡Jimmy!!! –gritó.

—¡Aaahhh, qué susto, Amber! ¡Casi se me descoyuntan todos los huesos! ¿Se puede saber a qué ha venido ese grito?

—¡Mira, mira! –le señaló la estatua y Jimmy dio un brinco hacia atrás.

—¿Quién la ha movido? Antes no estaba así.

—¿Verdad que la han movido? ¡Los brazos, los brazos!

Los cuatro brazos de la estatua estaban ahora levantados. Los dos inferiores, hacia delante, y los dos superiores, hacia arriba. Y las piernas...

—Creo que una de las piernas también se ha movido, Amber. Fíjate.

Pero Amber estaba cada vez más nerviosa:

—No quiero fijarme, no quiero fijarme. No quiero que nadie mueva esa estatua cubierta de pinchos. —Cerró los ojos y se negó a mirar.

—Nadie la está moviendo, Amber —dijo Jimmy un segundo después.

—¿Seguro? ¿Cómo lo sabes?

—Porque se mueve ella solita. ¡La estatua se mueve!

Era cierto. Ante los ojos aterrados de Jimmy, el hombre-cactus había movido primero una pierna y luego la otra, había girado el cuello y ahora los miraba directamente a ellos.

Persecución

–¡Me quiero ir a mi casa! –dijo Amber–. ¡Me quiero ir a mi casa! ¡Me quiero ir a mi casa ya!

–Y yo también –respondió Jimmy–, me da igual si a la tuya o a la mía, ¡pero me quiero ir lejos de aquí! ¡¡¡Corre!!!

Echaron a correr los dos a la vez, aunque no sabían hacia dónde, así que, de momento, su único propósito era alejarse de la plaza y de la estatua. Pero, como no conocían la ciudad, no tardaron en meterse por un callejón sin salida, de manera que no les quedó más remedio que dar la vuelta y retroceder. Y al hacerlo, perdieron casi toda la ventaja que le llevaban a su perseguidor.

Solo unos diez metros los separaban ahora de la estatua.

—¡Nos va a atrapar! —chilló Jimmy.

Justo entonces la estatua se detuvo, lo que llamó la atención de los dos amigos.

—Igual se le han acabado las pilas —sugirió Amber.

—Esa cosa no va a pilas. La mueve algún tipo de magia.

Ante sus ojos alucinados, la estatua se quitó una de las púas que cubrían su cuerpo y la lanzó hacia Jimmy. Por fortuna, como este era un esqueleto, la púa le dio en un hueso y no se clavó, sino que cayó al suelo.

La estatua cambió de objetivo: lanzó su segunda púa a Amber, que soltó un alarido de dolor al sentir el pinchazo en el antebrazo izquierdo.

—¡Ay!

—¡Qué puntería tiene la condenada estatua! —dijo Jimmy—. ¿Estás bien?

Antes de responder, Amber se quitó la púa y se miró la herida.

—Solo siento un hormigueo, como si un montón de hormigas estuviera corriendo el maratón por mi brazo.

—¡Es un veneno! ¡Quítatelo, Amber, rápido!

—Ya me he quitado la púa.

—No, el brazo, ¡quítate el brazo!

—No me he traído recambios para el viaje.

—Da igual. Tienes que quitártelo antes de que el veneno se extienda por todo tu cuerpo.

Amber se desenroscó el brazo a la altura del hombro.

—Menos mal que no me ha dado en una pierna. No me veo huyendo a la pata coja.

—Eso es verdad. Venga, corre.

La estatua parecía estar perpleja. Sin duda no había esperado que sus púas envenenadas no tuvieran ningún efecto sobre los dos chicos. Probó a hacer un tercer lanzamiento, pero por primera vez falló el tiro, pues Jimmy y Amber ya habían echado a correr de nuevo.

Doblaron una esquina y luego otra, y otra. Giraron tantas veces que no tenían la menor idea de dónde se encontraban. Se detuvieron para recuperar el aliento y se asomaron por una bocacalle para ver si su perseguidor estaba cerca.

—Ojalá Leo estuviera aquí —dijo Jimmy—, él podría mirar sin necesidad de asomar toda la cabeza.

—Hablando de Leo, ¿dónde pueden estar todos ellos? —preguntó Amber.

—Esta ciudad no es nada pequeña, así que podrían estar en cualquier parte. Pero empiezo a creer que esa condenada estatua tiene algo que ver con su desaparición.

—Espero que no. Ojalá solo estén perdidos por ahí.

—Los que estamos perdidos somos nosotros, Amber. Ahora mismo no sé cómo volver a la plaza.

—¿Y para qué quieres volver allí?

—Para recuperar la caja y llevársela a los nómadas. Para eso hemos venido. Me parece que la estatua es algo así como un guardián de la caja. Se ha movido cuando nos la hemos llevado.

Amber puso cara de meditación, y al final dijo:

—Tienes razón. Puede que ese hechicero, Brallon, la pusiera ahí para proteger la caja. Pero eso todavía no explica qué ha pasado con nuestros amigos.

—¿Qué hacemos?

—¿Me lo preguntas a mí?

—Tenemos que tomar una decisión, Amber.

—Ya lo sé, pero no se me ocurre cuál.

Volvieron a asomarse con cuidado por la esquina de la calle y comprobaron que no parecía haber rastro de la estatua-cactus.

—O la hemos despistado, o está volviendo hacia la plaza. Igual solo quería alejarnos de allí —dijo Jimmy.

—¿Cuándo crees que podré volver a ponerme el brazo izquierdo?

—Prueba ahora. Si sientes algo raro, te lo vuelves a quitar enseguida.

Amber le hizo caso: enroscó su extremidad y probó a moverla; cerró y abrió la mano, flexionó el codo varias veces y acabó moviendo el brazo entero como si fuera el aspa de un molino.

—¿Todo bien? —se interesó Jimmy.

—Todo bien, sí.

Los dos se quedaron callados unos minutos. Estaban cansados por la carrera, nerviosos por haber estado a punto de ser atrapados por la estatua, preocupados por sus amigos y asustados porque no tenían nada claro qué debían hacer.

Después, por fin, Amber tomó la palabra:

—Bueno, Jimmy, vamos a tener que pasar a la acción. No ganamos nada quedándonos aquí, así que vamos a hacer lo que has dicho: vamos a volver a la plaza. Y tenemos que llegar antes de que lo haga ese cactus de piedra con piernas.

Jimmy miró a su amiga con los ojos abiertos de par en par.

—¡Uauhh, Amber! ¡Me encanta cuando te pones en plan Lara Croft!

—Déjate de tonterías y vamos allá.

—Pero ni siquiera sabemos en qué dirección debemos ir.

—Pues tenemos que averiguarlo rápido.

Hacia la boca del lobo
(o del cactus)

Avanzaron tan aprisa como les fue posible, pese a que en cada esquina se detenían para asegurarse antes de que en la siguiente calle no les esperaba una sorpresa desagradable.

No era fácil orientarse, pero por suerte sus pasos los guiaron hasta una avenida similar a la que habían seguido nada más llegar a la ciudad, así que imaginaron que esta también los llevaría hacia la plaza.

—Repasemos el plan —dijo Jimmy, pensativo—. Llegamos a la plaza, nos aseguramos de que la estatua no está, cogemos el baúl o la caja o como quieras llamarlo y lo llevamos a la superficie. Que se encargue Cerpa-ï a partir de ahí. Y luego nosotros volvemos a bajar a Shambala y buscamos a los demás.

—Exacto —corroboró Amber.

—¿Y si la estatua ha llegado antes que nosotros?

—Mal asunto.

—Ya, pero ¿qué hacemos en ese caso?

—Lo pensaremos cuando llegue el momento.

—Creo que esa parte del plan falla un poco, Amber.

—Lo sé, pero escucha, Jimmy, no podemos quedarnos quietos y preparar un buen plan, porque entonces la dichosa estatua sí que estará allí esperándonos. Si nos damos prisa, es posible que consigamos adelantarla.

—O puede que esté por ahí escondida, tendiéndonos una trampa.

—Mejor no pensar en eso.

Continuaron adelante, apresurando el paso, y un centenar de metros más allá Jimmy volvió a hablar:

—Oye una cosa, Amber.

—Dime.

El esqueleto se pasó la mano por el tupé con cierto nerviosismo.

—Bueno, nada..., que me alegro de que tú estés aquí. Quiero decir, que me alegro de que no hayas desaparecido como los demás.

—Seguro que los encontraremos.

—Ya, pero no me refiero a eso.

—Creo que sé a lo que te refieres, Jimmy, y me parece que no es momento de volver a decirme que te gusto. Me lo has dicho tantas veces que me lo he aprendido de memoria.

—Pues no me canso de decírtelo porque es verdad.

—Lo sé, Jimmy.

Se quedaron callados un rato mientras seguían caminando. Amber notó a Jimmy un poco cabizbajo, por lo que le dio una palmada en la espalda y comentó:

—Yo también me alegro de que tú estés aquí, Jimmy. Me estoy dando cuenta de que eres mejor de lo que pensaba.

—Y más guapo —añadió Jimmy.

—Eso va a gustos.

—Pero reconoce al menos que el tupé me queda bien.

—Te queda mejor que el peluquín a Enrique Valbuena, eso sí que te lo digo.

De pronto Jimmy cogió la mano de su amiga y le dio un fuerte apretón.

—¡Mira! Ahí delante está la plaza.

Corrieron hasta el final de la avenida y cayeron en la cuenta de que habían llegado a la plaza por el extremo opuesto al de la vez anterior. El pedestal de la estatua se hallaba vacío.

—¡El cactus no ha vuelto aún! —exclamó Amber.

—No me fío. Puede que esté escondido, esperando a que nos dejemos ver.

—Pues vamos a tener que arriesgarnos.

—Sabía que ibas a decir eso. Anda, vamos.

Decidieron dirigirse hacia el escondite de la caja de Brallon bordeando la plaza, con la esperanza de que si la estatua les salía al paso podrían volver a huir por las calles de Shambala. En cada edificio por el que pasaban se asomaban para atisbar el interior, pero todos parecían estar vacíos.

De pronto Jimmy soltó una exclamación al asomarse a una ventana y Amber se preparó para echar a correr.

—¿Qué pasa, está ahí dentro?

—No. O sí, no lo sé. Míralo tú misma, a mí lo que hay ahí dentro me parece una colección entera de cactus.

Amber se asomó junto a él y vio una habitación rectangular en la que había siete estatuas. La oscuridad impedía distinguir los detalles, pero sí saltaba a la vista que ninguna de aquellas era tan grande como la que les había intentado dar caza por la ciudad.

—Por suerte estas están quietas.

—Ya, ¿y si se ponen en marcha en cualquier momento? —dijo Amber—. Si casi no podemos escapar de una, imagínate tener que huir de todas estas. Podrían rodearnos.

—Yo creo que estas son pruebas —opinó Jimmy—. Míralas, están mal hechas. Defectuosas. Como los primeros bocetos que hacen los pintores. El hechicero hizo pruebas hasta que la estatua le salió como él quería.

—¿Tú crees?

—Ya te digo. Fíjate. Estas siete estatuas son deformes. Se ve que las hizo con prisas y le salieron fatal. Ni siquiera se preocupó de ponerle muchas púas. Parecen cactus calvos. Mira esa de ahí, es muy delgada, y en cambio esa otra es redonda. Y mira el pedazo de nariz que le puso a aquella, y a la de más allá ni siquiera le puso pelo. Todas tienen pelo menos esa. Y a aquella de allí solo le puso cuatro pelos, y además, de punta, como si llevase gomina.

Amber fijó su atención en las estatuas que su amigo le iba indicando y soltó un grito.

—¡Jimmy!

—¿Puedes bajar la voz? Me das más sustos tú que Nosperratu con hambre.

—Mira bien, Jimmy, ¡mira! ¡No son estatuas!

—¿Ah, no? Pues ya me dirás qué son. ¿Maniquíes? Claro que son estatuas, Amber. Con los ojos tan bonitos que tienes y lo poco que ves.

—El que ve poco eres tú. Mira. —Lo cogió del tupé y le obligó a estirar el cuello para meter la cabeza por la ventana y mirar más de cerca. Señaló una de las estatuas que parecía una gran bola con brazos y piernas muy cortos—. Eso de ahí no es ni un maniquí ni una estatua, ¡es Severina!

Jimmy sintió un escalofrío y aguzó la vista. ¿Severina? ¡Severina! Y la estatua que estaba a su lado no tenía cuatro pelos de punta, como había pensado en un primer momento, sino que tenía cuatro ojos pedunculados. ¡Era Leopoldo!

De repente los dos comprendieron la razón de las púas en aquella colección de cactus, como el esqueleto la había llamado. Sin duda, en cada púa había una cierta cantidad de algún tipo de veneno cuyo efecto era el de adormecer el cuerpo en el que se clavaba. Primero adormecía el cuerpo y luego lo petrificaba. Jimmy se había librado precisamente porque era un esqueleto, y Amber, porque tenía la capacidad de quitarse y ponerse las partes de su cuerpo a voluntad, así que el veneno no había llegado a extenderse más allá de su brazo. Pero ahora veían que sus amigos no habían tenido la misma suerte. En los cuerpos de Severina, Telmo, Leopoldo y Tarsio había dos, tres y hasta cuatro púas clavadas. Y también estaban allí don Liberto, el director Cox y Enrique Valbuena. Este último, sin su peluquín, eso sí.

Rescate

Tras echar un vistazo a su alrededor para asegurarse de que no había peligro, los dos pasaron al interior de aquel edificio y examinaron con detalle las siete estatuas en que se habían convertido sus compañeros.

Parecían auténticamente de piedra. Jimmy probó a tocar a sus amigos y hacerles cosquillas para ver si reaccionaban. A Tarsio incluso le metió un dedo en la nariz, pero ni así.

—Me temo que no hay nada que hacer, Amber —dijo, con tono compungido—. Los hemos perdido para siempre.

—No te rindas todavía. Tiene que haber algo.

—Hombre, podemos llevárnoslos y ponerlos en el jardín, como elementos decorativos. Como esos gnomos que tanto le gustan a la gente.

—A veces creo que no te funciona bien la cabeza, Jimmy. En serio te lo digo. Tenemos que encontrar una solución para devolverlos a su estado natural. Y rápido.

—Vale, de acuerdo. Pero ¿tienes alguna idea?

Amber hizo un gesto negativo con la cabeza, pero acto seguido, casi sin pensar en lo que hacía, extendió el brazo, cogió una de las púas que Severina tenía clavadas y se la quitó. Luego hizo lo mismo con las demás.

Cuando quitó la última, Severina inhaló una gran bocanada de aire, como si hasta ese mismo momento hubiera estado conteniendo la respiración. Enseguida empezó a boquear igual que alguien que acaba de realizar un gran esfuerzo o se ha llevado un susto impresionante.

Al ver el resultado, Jimmy imitó a Amber y quitó las púas que Leo tenía clavadas en su cuerpo. Y después, entre los dos, hicieron lo mismo con los que faltaban.

Uno tras otro, todos repitieron los gestos de Severina. Ahora podían respirar de nuevo, pero todavía no tenían fuerzas para hablar.

El primero en hacerlo fue el director Cox:

—¡Gracias, muchachos!

Sin embargo, fue el único que se mostró agradecido. Los demás estaban furiosos:

—¡Jimmy! ¿Qué es eso de que somos deformes?

—Sí, ¿cómo que estamos mal hechos, que solo somos pruebas incompletas?

—¡Gnomos de jardín! ¡Nos has llamado gnomos de jardín!

—Eh, tranquilos, tranquilos. ¡Pero si estabais petrificados!

—El veneno de las púas nos impedía movernos, pero podíamos ver y hemos oído todo lo que decías —explicó Leo.

—Era por la falta de luz, que no os veía bien...

—Eso suena a excusa —rugió Severina.

—A ver, a ver, ¿así me agradecéis que haya venido a rescataros?

Ninguno pareció escucharle.

—¡Me has llamado narizotas! —dijo Tarsio—. Y me has metido el dedo en la nariz.

—¡A mí me has llamado calvo! —protestó Valbuena, pasando por alto que realmente no tenía un solo pelo en la cabeza.

—Bueno, bueno, tenéis que reconocer que modelos de revista no sois —dijo Jimmy, defendiéndose—. Aquí el más guapo soy yo, eso está clarísimo. Y Amber, por supuesto. Vosotros sois bastante majetes, pero guapos, lo que se dice guapos...

—Ya está bien —ordenó Tyrone Cox, con voz tajante—. La belleza exterior e interior de cada uno no es ahora mismo lo que más debe preocuparnos. Amber, Jimmy, ¿esa estatua sigue por ahí?

—La verdad es que no sabemos dónde está —respondió Amber—. Le dimos esquinazo hace un rato y no la hemos vuelto a ver.

—A mí hay otra cosa que me preocupa, Tyrone —intervino Enrique Valbuena—. ¿Cómo habéis llegado todos vosotros hasta aquí?

Los chicos se miraron, sin que ninguno se decidiera a contestar.

—Es verdad —añadió don Liberto—. Se suponía que estabais durmiendo en el campamento cuando nosotros descubrimos la entrada. Por eso no quisimos despertaros hasta ver que la ciudad era segura, y al poco de llegar nos sorprendió la estatua.

Finalmente fue Telmo quien se decidió a responder a su padre:

—No podíamos dormir, y... bueno, encontramos otra manera de entrar en Shambala.

—¿Cuál? —quiso saber Valbuena.

De nuevo los miembros de la pandilla intercambiaron miradas de indecisión. La misión que Cerpa-ï les había encargado era sacar la caja de la ciudad antes de que Valbuena la encontrase, y ahora eso se antojaba imposible. Pero ¿debían revelar la existencia de los nómadas y lo que su jefe les había contado?

—Fue por casualidad —mintió Tarsio para salir del paso—. Salimos de la tienda en plena noche y Jimmy, como es tan torpe —aquí le dirigió una mirada al esqueleto para hacerle entender que le estaba devolviendo lo que él había dicho un momento antes—, se cayó por un agujero. Los demás fuimos a ayudarle y descubrimos que era un túnel que llegaba hasta la ciudad.

—¡Qué extraño! —dijo Valbuena—. No suele haber agujeros en el desierto, el viento los cubre enseguida con arena.

Severina se apresuró a responder:

—Se ve que con los temblores de la maquinaria de la excavación el agujero se abrió sin que nadie se diera cuenta.

—Sí, eso debió de ser —apuntó Jimmy, devolviéndole la mirada a Tarsio—, pero no fui yo el que se cayó al agujero. O, bueno, sí, me caí, pero fue por tu culpa, que estornudaste con esa narizota tuya y me aparté para que no me moqueases y por eso me caí.

—¡Ya está bien, chicos! —los interrumpió Cox—. No es momento de hablar de la nariz de Tarsio ni de la torpeza de Jimmy. Es momento de volver a la superficie sin que esa estatua nos atrape.

—Tiene razón —dijo Jimmy, y le tendió su mano a Tarsio—. En realidad no tienes la nariz tan grande, ¿sabes? Si acaso, lo que tienes es el resto del cuerpo muy pequeño en comparación.

—¡¡¡Jimmy!!! —le reprendió el director.

DOS PLANES MEJOR QUE UNO

Don Liberto tomó la palabra:

—Creo que lo mejor es que evitemos las calles más anchas, porque ahí la estatua podrá vernos. Buscaremos una calle estrecha y avanzaremos en fila india. Si nos ataca y alguien resulta herido, los demás lo llevaremos en volandas. Estoy convencido de que la magia que permite que esa estatua se mueva no funciona en la superficie, así que si conseguimos salir de la ciudad estaremos a salvo. O eso espero.

—Me parece buena idea —aprobó Cox—. Yo iré delante.

—No, Tyrone —dijo Valbuena—. Es mejor que vaya yo el primero. Creo que podré orientarme mejor que tú.

—Como quieras, Enrique. Tú delante y yo detrás de ti. Los demás, seguidnos en fila de a uno.

—A sus órdenes —dijeron los chicos, al tiempo que se miraban y se interrogaban unos a otros en silencio en busca de una solución.

Fue Severina la que asumió el mando en ese momento. Una vez que Valbuena y Cox se prepararon para salir del edificio, invitó a don Liberto a ponerse en tercer lugar. Ella se colocó detrás de él, de forma que su cuerpo haría de escudo y ocultaría a sus amigos. Así ellos podrían apartarse sin que los que iban en cabeza se dieran cuenta.

Lo hicieron en cuanto vieron una buena oportunidad. Valbuena, Cox, don Liberto y Severina doblaron una esquina y los demás se quedaron parados, dieron la vuelta y echaron a correr en dirección contraria.

Volvieron hacia la plaza, aunque seguían sin tener nada claro cómo podrían vencer a la estatua de Brallon si se encontraban con ella.

Jimmy y Amber dirigieron al grupo hasta el edificio donde habían escondido la caja-baúl. Por fortuna, continuaba en el mismo sitio.

—No pesa mucho —informó Amber—. La llevamos entre dos, y los otros tres que se encarguen de vigilar.

Tarsio y Telmo se ofrecieron voluntarios, y Leo, aprovechando que contaba con cuatro ojos y podía ver el peligro antes que los demás, encabezó la marcha.

Todo parecía ir bien hasta que, en una esquina que daba a la avenida, Leo se puso rígido. Sus ojos se alzaron de punta, como el pelo de un gato a punto de entrar en combate.

—¿Qué ocurre, Leo? —preguntó Telmo.

—Es más lista de lo que pensábamos. Nos estaba esperando.

Allí estaba la estatua, en mitad de la avenida, con sus cuatro brazos en jarras, como la primera vez que la habían visto.

Su brazo derecho superior cogió una púa y la lanzó, acertando en el tallo de uno de los ojos de Leo, que se desplomó y quedó colgando de su cabeza.

—¡Ahhhh! —gritó el pobre Leo, más por la

extraña sensación que por el dolor del pinchazo–. ¡Me estoy quedando ciego!

–Bueno, ciego solo al veinticinco por ciento, ¿no? –apuntó Tarsio.

–De prisa, ¡corred! –gritó Amber.

–Yo no puedo correr –chilló Leo, histérico–. No veo bien. –Se movía como si estuviera a bordo de un barco en una tempestad–. Me está entrando vértigo. ¡Me caigo, me caigo!

–¡Pero si todavía te quedan tres ojos sanos!

No había nada que hacer: Leo caminaba dando tumbos de un lado a otro, chocando contra las paredes. Empezó a gritar:

–¡Socorro, socorro, *mayday, mayday*! ¡PRRAAA!

Como siempre que se ponía nervioso, se le escapó una ventosidad.

El combate final

Telmo cogió a Leo por donde pudo, que resultó ser por otro de sus ojos, y tiró de él para llevárselo antes de que la estatua lanzase una segunda púa venenosa. Dejaron la caja y echaron a correr para ponerse a cubierto.

—No podemos huir todo el rato —advirtió Tarsio.

—Pues tú dirás qué hacemos —repuso Jimmy—. ¿Alguna idea mejor?

—Sí, tenemos que pasar a la acción.

—No, gracias —dijo Leo, frotándose dos de sus ojos, el que había recibido el veneno y el que había recibido el apretón de Telmo. Por suerte, en una sola púa no había cantidad de veneno suficiente para que todo su cuerpo se durmiese.

—Si rodeamos a la estatua, no podrá atacarnos a todos a la vez —sugirió Tarsio.

—Te recuerdo que tiene cuatro brazos —le dijo Amber.

—Pero solo dos ojos. Y los tiene delante. Así que si la atacamos por detrás...

—Mide dos metros, ¿lo has olvidado? —casi gritó Jimmy—. No podremos con ella.

—Venga, chicos —insistió Tarsio—. Tenemos que poder. La derribaremos y...

—Para, para. ¿Cómo vamos a derribarla? —quiso saber Telmo.

Tarsio pensó con rapidez:

—Todos llevamos cinturón, ¿no? Cinco cinturones serán suficientes.

Los demás entendieron lo que pretendía hacer y cada uno se quitó su cinturón para dárselo a Tarsio, que los fue uniendo hasta formar una cuerda de varios metros de longitud.

—¿Cuál es tu idea? —exigió saber Jimmy.

—Pues verás, no quiero que pienses que esto es mi venganza por haberte metido con el tamaño de mi nariz, pero lo que se me ha ocurrido es que tú seas el cebo.

—¡Sí, hombre!

—A ti las púas no te afectan, así que eres el mejor candidato para ponerte delante de la estatua mientras los demás le tendemos una trampa.

Jimmy protestó aún un poco más, pero acabó por aceptar que Tarsio tenía razón.

La estatua avanzaba despacio, pero confiaba en su victoria. Abandonó la avenida y recorrió varias de las calles por las que habían huido los chicos. De pronto, detrás de una esquina encontró a uno de los muchachos, al esqueleto con tupé. Estaba a unos veinte metros, colocado justo en un nuevo cruce.

—¡Eh, pedazo de cactus, ven a por mí!

La estatua buscó con la mirada al resto de la pandilla, pero no había ni rastro por ninguna parte. Aquella calle era bastante estrecha, podía tocar ambos lados si estiraba los brazos. Y el esqueleto del tupé estaba en el centro mismo del cruce y le sacaba la lengua desafiante.

—¡Cactus, que eres un cactus! Te has escapado de una película de indios y vaqueros.

La estatua le lanzó una de sus púas, que le dio en el húmero, rebotó y cayó al suelo. Lanzó otra y le dio en la clavícula, rebotó y cayó al suelo. Lanzó una más, le dio en la tibia, rebotó y cayó al suelo. Si hubiera podido hacerlo, la estatua habría rugido de rabia. ¿Por qué su veneno no afectaba a aquel chico esqueleto?

—Venga, sigue intentándolo. A lo mejor tienes más suerte la próxima vez —le retó Jimmy, burlón.

La cuarta púa le partió el tupé en dos y le dio en el trasero a un piojo, que enseguida se convirtió en estatua.

La quinta le dio en el hueso frontal, y, como las otras, rebotó y cayó al suelo.

La estatua se enfureció y decidió arremeter contra Jimmy. Si era inmune al veneno, lo atraparía entre sus brazos. Se abalanzó hacia él...

Jimmy dio un salto hacia atrás. Una cosa era permitir que la estatua le diera una sesión de acupuntura, y otra muy distinta dejar que lo abrazase con aquellos cuatro brazos enormes.

—¡Ahora! —gritó Tarsio.

Estaba agazapado en un lado de la calle, con Leo, donde la estatua no podía verlos. Sujetó por un extremo la cuerda que había fabricado uniendo los cinturones y lanzó el otro hacia el lado opuesto, donde esperaban Telmo y Amber. Los cuatro tiraron hasta tensar la cuerda y la levantaron unos veinte centímetros del suelo.

La estatua siguió adelante, con los ojos fijos en el esqueleto, que continuaba burlándose de ella. No vio la trampa, tropezó con su pie derecho y perdió el equilibrio. Ni siquiera comprendió lo que estaba sucediendo. Acostumbrada como estaba a verlo todo desde una altura de dos metros, se asustó ahora al ver que el suelo se le acercaba a gran velocidad. En realidad, era ella la que se estaba aproximando al suelo.

Chocó con un estruendo sobrecogedor, seguido por un terrible crujido, el de la piedra al resquebrajarse.

Los chicos miraron entre asustados y esperanzados, porque su plan no tenía segunda parte. Si no funcionaba, tendrían que pensar otro.

Pero, por suerte, tras aquel crujido que parecía interminable, la estatua se partió en cientos de pequeños pedazos y dejó de moverse. La magia de Brallon, por muy poderosa que fuese, solo funcionaba mientras la estatua estuviese en pie y completa.

—¡Lo hemos conseguido! —chilló Amber. Los cinco se abrazaron y bailaron de alegría.

—¡Qué valiente has sido! —le dijo Tarsio a Jimmy.

—¡Y tú, qué buena idea has tenido!

Los dos volvieron a abrazarse, olvidando las pullas que se habían dedicado mutuamente un rato antes.

EXPLICACIONES Y DESPEDIDAS

Los cinco llevaron la caja de Brallon hasta el pozo que comunicaba con la tienda de los nómadas. Allí hicieron falta varios de los compañeros de Cerpa-ï para subirla hasta la superficie.

—¡Bravo, muchachos! —los felicitó el jefe de la tribu, entusiasmado y aliviado por verlos reaparecer.

Por turnos, los cinco resumieron su aventura y el final de la estatua.

—Pero ahora tenemos que darnos prisa en volver a la excavación —recordó Telmo—. Mi padre y el director estarán muy preocupados.

114

—Sí, es cierto —estuvo de acuerdo Cerpa-ï—. Habéis sido muy valientes y, no solo nosotros, sino también el mundo entero está en deuda con vosotros. A partir de este momento, yo me encargaré de que la caja de Brallon no se abra nunca. Podéis contar con ello.

Se despidieron y el jefe de los nómadas les recordó que no debían contar nada a Valbuena.

—Desde hoy les hablaremos a nuestros hijos y a nuestros nietos de vosotros —dijo Mogelios—. Y ellos transmitirán vuestra aventura a sus hijos y a sus nietos, y estos la contarán a los suyos, y los nómadas del desierto de Gobi nunca dejarán de hablar de vosotros.

Al llegar al campamento del arqueólogo, don Liberto, Tyrone Cox y, sobre todo, Severina corrieron a su encuentro, y los recién llegados volvieron a contar cómo habían logrado acabar con la estatua, sin mencionar, por supuesto, la caja del hechicero.

Solo a Severina, más tarde, le dijeron lo que habían hecho con ella.

Un pozo muy profundo

Cerpa-ï se alejó hacia el corazón del desierto. Durante años y años había ido preparando un nuevo escondite para guardar a buen recaudo la caja del hechicero Brallon, por si llegaba a darse el caso de que alguien descubriese la ciudad de Shambala. No había compartido con nadie su localización exacta, ni siquiera los miembros de

 su tribu lo sabían. Aunque Cerpa-ï confiaba en ellos, había preferido ser él el único que lo supiera. Guardaría allí la caja y regresaría junto

116

a sus compañeros para continuar con su eterno viaje por el Gobi.

Cuando llegó por fin, miró a su alrededor para comprobar que no había nadie. Guio a su caballo hasta el pozo que había excavado con inmensa paciencia y, después de apartar la tapa, se asomó al borde. Era imposible ver el fondo. Según sus cálculos, en todos aquellos años de trabajo había alcanzado una profundidad de varias decenas de metros, de modo que, cuando la arena lo cubriese, no habría forma de recuperar la caja. Eso era justo lo que pretendía. Que nadie pudiera volver a encontrarla ni por casualidad.

En ese momento pasó por encima de su cabeza, muy alto, un avión. Cerpa-ï levantó la mirada, pero no pudo ver a los chicos de la pandilla, Leo, Telmo, Severina, Amber, Jimmy y Tarsio, asomados a las ventanillas, echando un último vistazo al desierto. Desde allí arriba casi parecía infinito.

Cuando el avión dejó de verse, el jefe de los nómadas descargó la caja de Brallon de su caballo y la dejó caer al pozo. El fondo estaba tan profundo que no se oyó ningún ruido. Entonces empezó a cubrir el agujero con arena. Le llevaría tiempo, pero tenía arena de sobra a su disposición.

ÍNDICE

Del mismo autor

La orquídea de los tiempos
de Daniel Hernández
Chambers
Dibujos de Òscar Julve
ISBN: 978-84-9845-639-4
«La Clase Monster», 1

En la clase Monst-3º B hay un grupo de amigos muy especial: uno es un esqueleto, el otro tiene cuatro ojos, otra es peluda como un oso... Un día Leo lleva a clase una cajita de un antepasado. Después de descifrar el modo de abrirla, encuentran un mapa del colegio, el dibujo de una flor y una llave. ¿Qué significado tiene este hallazgo enigmático? Es imposible resistirse a averiguarlo, y así empezará la aventura que les conducirá hasta un secreto escondido en el colegio desde hace 200 años...

La clave nosperratu
de Daniel Hernández
Chambers
Dibujos de Òscar Julve
ISBN: 978-84-9845-692-9
«La Clase Monster», 2

Tarsio, Amber, Jimmy el Guapo, Severina, Leopoldo y Telmo son un grupo de monstruos siempre a punto para la aventura. El intento de secuestro de Nosperratu, el perro de Tarsio, les plantea un sinfín de dudas que necesitan resolver. ¿Quiénes son los raptores y qué oscuros fines persiguen? ¿Por qué Nosperratu? El grupo de amigos hará todo lo posible para evitar que lleven a cabo sus siniestros propósitos y, al mismo tiempo, descubrirá sorprendentes revelaciones alrededor del temido conde Drácula...

Cuentos de miedo para reír
de Braulio Llamero
Dibujos de Álex Herrerías
ISBN: 978-84-9845-783-4
«Calcetín», 110
Serie Roja
A partir de 10 años

¿Te atreverías a explorar una casa deshabitada o a entrar en el cementerio la noche de Halloween? La pandilla protagonista de *Cuentos de miedo para reír* siempre está preparada para una nueva aventura, aunque a veces tengan que salir corriendo del susto. Y es que estos siete amigos siempre acaban enredados en divertidas peripecias. Con ellos es imposible aburrirse. Si te apuntas... ¡lo pasarás de miedo!

La aldea de los monstruos
de Iñaki R. Díaz
Dibujos de Oriol Malet
ISBN: 978-84-9845-610-3
«Calcetín», 96
Serie Roja
A partir de 10 años

¿Te imaginas una aldea en la que vive un monstruo en cada casa? Pues allí es donde llega Totó después de perderse en el bosque. Siniestro, el sepulturero, será quien lo guíe y proteja en un mundo poblado por temibles criaturas de la noche, como brujas, ogros u hombres lobo. ¿Encontrará Totó el camino de vuelta a su hogar?

Dedos fríos en la niebla
de Alan Monroe-Finch
Dibujos de Enric Climent
ISBN: 978-84-9845-057-6
«Calcetín», 32
Serie Roja
A partir de 10 años

Patrick y su padre se alojan en casa de los Trevail, una pareja solitaria que perdió a su hija ahogada en el mar en extrañas circunstancias. La joven Louise guiará a Patrick hacia una cueva que contiene cadáveres de antiguos piratas y restos de tesoros perdidos. Pero quizás ése no sea el único secreto que oculta...